L'ÉNERGIE NUCLÉAIRE

Illustrations de
Ron Hayward Associates
et Mike Saunders
Conseiller : Stuart Boyle

La photo de couverture montre une implosion accompagnée d'un dégagement d'énergie, dans une expérience de fusion nucléaire produite par des rayons lasers.

.

L'édition originale de cet ouvrage
a paru sous le titre : *Nuclear Power*
Copyright © Aladdin Books Limited 1985,
70, Old Compton Street, London W1

Adaptation française de F. Carlier
Copyright © Éditions Gamma, Tournai, 1985
D/1985/0195/23
ISBN 2-7130-0707-0
(édition originale : ISBN 086313 2472)

Exclusivité au Canada :
Les Éditions Héritage Inc., 300, avenue Arran,
Saint-Lambert, Qué. J4R 1K5
Dépôts légaux, 3e trimestre 1985,
Bibliothèque nationale du Québec
Bibliothèque nationale du Canada
ISBN 2-7625-4991-4

Imprimé en Belgique

Origine des photographies :
Couverture et page 27 : Science Photo Library ;
page 8 : Colorific ; page 10 : Zefa ; pages 13, 17, 18,
22 et 25 : United Kingdom Atomic Energy Authority ;
pages 14, 21 et 29, Frank Spooner.

L'ÉNERGIE NUCLÉAIRE

Robin McKie

Adaptation française de
François Carlier

ÉDITIONS GAMMA — ÉDITIONS HÉRITAGE INC.

Introduction

Nous oublions facilement l'importance de l'énergie pour chacun de nous. Elle nous est nécessaire pour éclairer et chauffer nos maisons, les écoles et les bureaux, et pour faire fonctionner les voitures, les trains et les avions. Les usines ont également besoin d'énergie pour fabriquer leurs produits. Ce livre montrera les diverses façons dont nous pouvons utiliser l'énergie nucléaire pour satisfaire ces besoins.

Le nucléaire constitue la plus puissante de nos sources d'énergie. Il peut servir à produire de l'électricité et à propulser de grands navires. Mais il a beaucoup d'adversaires, qui voient dans le nucléaire un danger permanent pour le monde.

Coucher de soleil sur des pylônes électriques, à Montréal (Canada)

Sommaire

L'énergie nucléaire

Le nucléaire a transformé notre monde. Les hommes l'ont utilisé pour fabriquer des bombes extrêmement puissantes. Mais son énergie nous fournit également une nouvelle façon de produire de l'électricité pour nos maisons et nos usines.

Les réserves de charbon, de pétrole et de gaz naturel s'épuiseront un jour. C'est pourquoi de nombreux pays désirent construire des centrales nucléaires. Leur réalisation est coûteuse, mais leur fonctionnement assez économique. L'énergie nucléaire fut découverte il y a environ quarante ans : plus de vingt pays l'utilisent maintenant pour produire de l'énergie.

Une centrale nucléaire en Allemagne de l'Ouest

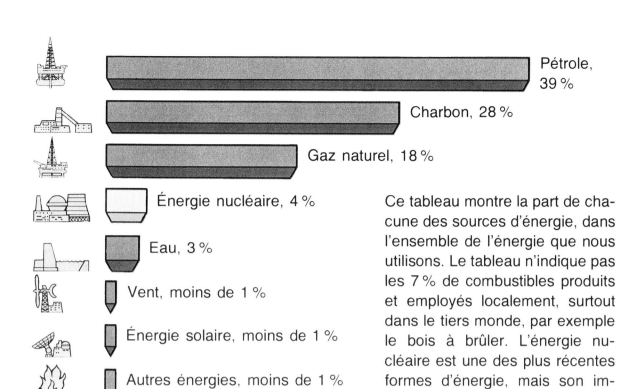

Pétrole, 39 %

Charbon, 28 %

Gaz naturel, 18 %

Énergie nucléaire, 4 %

Eau, 3 %

Vent, moins de 1 %

Énergie solaire, moins de 1 %

Autres énergies, moins de 1 %

Ce tableau montre la part de chacune des sources d'énergie, dans l'ensemble de l'énergie que nous utilisons. Le tableau n'indique pas les 7 % de combustibles produits et employés localement, surtout dans le tiers monde, par exemple le bois à brûler. L'énergie nucléaire est une des plus récentes formes d'énergie, mais son importance s'accroît assez rapidement malgré les oppositions.

11

La fission de l'atome

Tout objet de ce monde est formé de particules minuscules, appelées « atomes ». En 1939, des savants parvinrent à les diviser : ce fut la « fission ».

Ils découvrirent que les atomes d'un métal appelé uranium pouvaient être divisés en deux parties. Une telle fission dégage une grande quantité de chaleur. Durant la fission, les atomes expulsent des particules encore plus petites, appelées « neutrons ».

Ces neutrons frappent d'autres atomes, et les divisent à leur tour. Ce processus déclenche et entretient une « réaction en chaîne », qui continue à dégager de la chaleur, utilisable pour produire de l'électricité. La fission nucléaire ainsi décrite se produit dans le « combustible nucléaire », qui est placé à l'intérieur du « réacteur » de la centrale nucléaire (photo de droite).

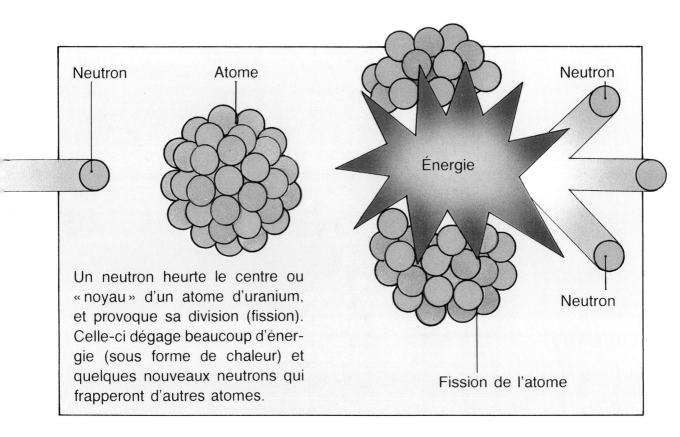

Neutron Atome Énergie Neutron

Neutron

Un neutron heurte le centre ou « noyau » d'un atome d'uranium, et provoque sa division (fission). Celle-ci dégage beaucoup d'énergie (sous forme de chaleur) et quelques nouveaux neutrons qui frapperont d'autres atomes.

Fission de l'atome

L'intérieur du réacteur

Au milieu du réacteur nucléaire se trouve son « cœur » : il ressemble à un gros cylindre et contient les « éléments » de combustible nucléaire. Ceux-ci sont généralement remplis d'uranium, le combustible nucléaire le plus employé dans les centrales.

Autour des éléments circule un fluide « refroidisseur », qui peut être un liquide ou un gaz. Il absorbe la chaleur dégagée par les éléments et la transporte à « l'échangeur de chaleur ». Là, elle fait bouillir de l'eau et la transforme en vapeur sous pression. La vapeur frappe les ailettes d'une grande « turbine » (photo de gauche), qui se met à tourner sous l'effet de la pression de la vapeur. La turbine fait tourner à son tour une « génératrice », ou machine qui produit de l'électricité. La vapeur redevient de l'eau dans le condenseur.

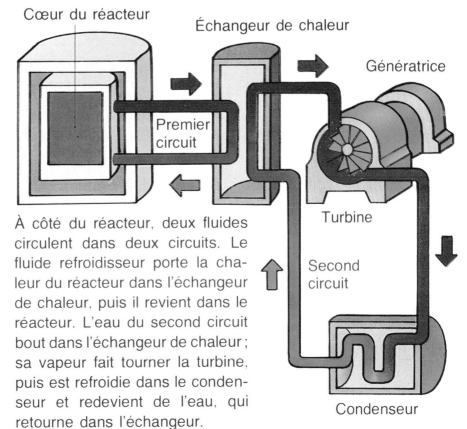

À côté du réacteur, deux fluides circulent dans deux circuits. Le fluide refroidisseur porte la chaleur du réacteur dans l'échangeur de chaleur, puis il revient dans le réacteur. L'eau du second circuit bout dans l'échangeur de chaleur ; sa vapeur fait tourner la turbine, puis est refroidie dans le condenseur et redevient de l'eau, qui retourne dans l'échangeur.

Le cœur du réacteur

Le fluide refroidisseur emporte la chaleur du cœur du réacteur. Mais la production de chaleur doit toujours y être contrôlée. Pour cela, les éléments de combustible sont entourés d'eau ou de graphite, qui servent de « modérateur ». En plus, des « barres de réglage » peuvent être descendues dans le cœur du réacteur : elles ont comme effet de ralentir les réactions nucléaires. La photographie de droite montre la mise en place des barres de réglage dans le cœur d'un réacteur, durant sa construction ; on ne pourrait y entrer ensuite.

D'épaisses parois d'acier et de béton entourent complètement le cœur du réacteur nucléaire : elles empêchent que des radiations mortelles s'en échappent. Celles-ci sont produites par les réactions de fission qui ont lieu dans les éléments de combustible dès que le réacteur fonctionne.

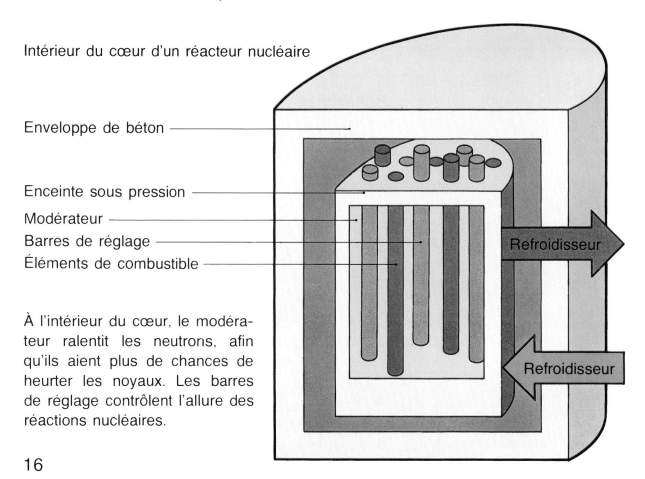

Intérieur du cœur d'un réacteur nucléaire

Enveloppe de béton

Enceinte sous pression

Modérateur

Barres de réglage

Éléments de combustible

Refroidisseur

Refroidisseur

À l'intérieur du cœur, le modérateur ralentit les neutrons, afin qu'ils aient plus de chances de heurter les noyaux. Les barres de réglage contrôlent l'allure des réactions nucléaires.

16

Les radiations dangereuses

Un réacteur nucléaire qui fonctionne produit de la chaleur et des radiations. On ne sent pas ces radiations, mais elles sont dangereuses. Elles sont émises dans toutes les directions par des matières appelées «radioactives». Les personnes frappées par ces radiations risquent de subir des maladies graves et même mortelles, comme la destruction des globules de leur sang et le cancer.

Des bras télécommandés manipulent les «aiguilles» de combustible radioactif

Les personnes qui travaillent près des réacteurs nucléaires doivent donc être protégées contre les radiations. Elles portent des vêtements spéciaux et subissent de fréquents contrôles médicaux. Jamais elles ne touchent les « aiguilles » contenant du combustible radioactif : elles les manipulent au moyen de bras télécommandés, en restant à l'abri derrière d'épaisses parois de verre.

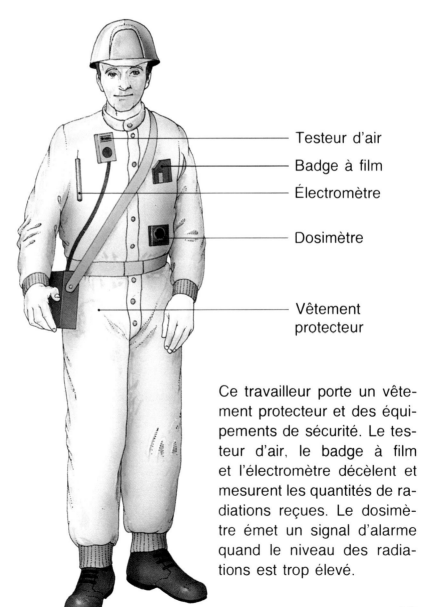

Testeur d'air

Badge à film

Électromètre

Dosimètre

Vêtement protecteur

Ce travailleur porte un vêtement protecteur et des équipements de sécurité. Le testeur d'air, le badge à film et l'électromètre décèlent et mesurent les quantités de radiations reçues. Le dosimètre émet un signal d'alarme quand le niveau des radiations est trop élevé.

19

Le retraitement

L'uranium qui sert de combustible dans le réacteur nucléaire s'épuise très lentement. Quand il est « usé », les éléments de combustible sont retirés. L'uranium y a produit d'autres substances : le plutonium et des déchets très radioactifs.

Ce combustible usé peut être envoyé dans une usine de retraitement : là, on en retire l'uranium et le plutonium qui sont encore utilisables comme combustibles nucléaires. Mais il reste alors une petite quantité de déchets hautement radioactifs et très dangereux. C'est pourquoi le personnel de l'usine de retraitement porte des vêtements spéciaux et éventuellement des équipements de sécurité (photo de droite), afin de pouvoir travailler et agir dans les zones les plus exposées et même en cas de fortes radiations.

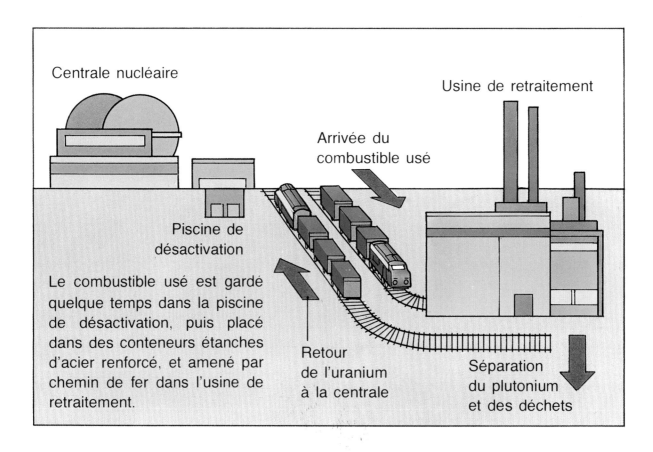

Centrale nucléaire

Usine de retraitement

Arrivée du combustible usé

Piscine de désactivation

Le combustible usé est gardé quelque temps dans la piscine de désactivation, puis placé dans des conteneurs étanches d'acier renforcé, et amené par chemin de fer dans l'usine de retraitement.

Retour de l'uranium à la centrale

Séparation du plutonium et des déchets

Travailleurs d'une usine de retraitement
revêtus de leur équipement de sécurité

Les déchets radioactifs

Les déchets radioactifs sont tellement dangereux qu'on ne peut pas les « jeter » n'importe où. Certains sont descendus au fond de la mer ou enterrés profondément dans le sol. Les déchets hautement radioactifs restent très dangereux pendant de nombreuses années : ils sont gardés ordinairement à la surface du sol, dans des conteneurs d'acier. Certains savants proposent de les mélanger à du sable et de fondre le tout, pour en faire des blocs d'une sorte de verre, où les déchets seraient emprisonnés. Ensuite, les blocs devraient encore être enterrés à grande profondeur.

Fûts de déchets radioactifs, qui seront précipités dans la mer

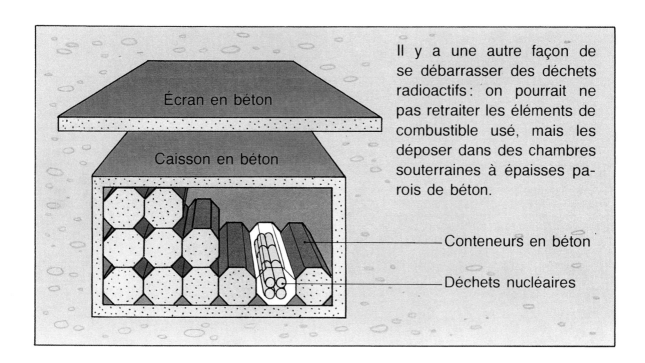

Il y a une autre façon de se débarrasser des déchets radioactifs : on pourrait ne pas retraiter les éléments de combustible usé, mais les déposer dans des chambres souterraines à épaisses parois de béton.

Écran en béton

Caisson en béton

Conteneurs en béton

Déchets nucléaires

Le surrégénérateur

La plupart des réacteurs nucléaires utilisent l'uranium comme combustible, pour produire de l'électricité. Cet uranium est préparé à partir de minerai d'uranium, qu'il faut extraire du sol. Les réserves d'uranium ne sont pas illimitées et s'épuiseront donc un jour.

Mais il existe un autre type de réacteur, qui fonctionne au plutonium et utilise beaucoup mieux l'énergie du combustible nucléaire. Il n'a pas de modérateur pour ralentir les neutrons, et il peut produire plus de combustible qu'il n'en consomme : c'est pourquoi on l'appelle un « surrégénérateur ».

Les surrégénérateurs sont très coûteux à construire, et les savants tâchent de les améliorer. La photo de droite montre celui de Dounreay, en Écosse. Un autre fonctionne à Marcoule, en France.

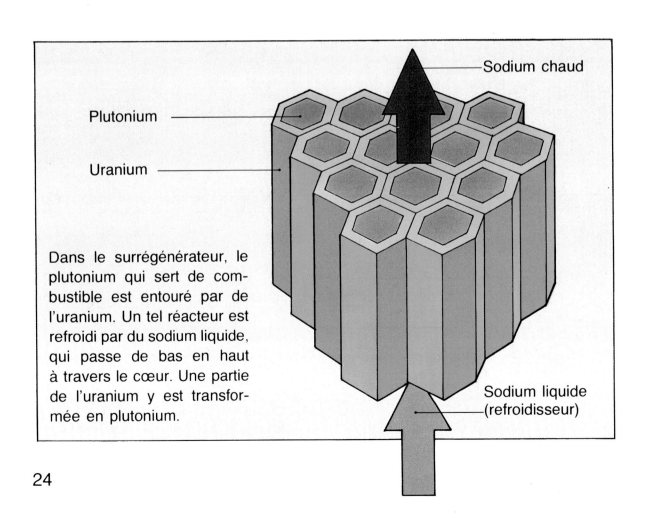

Plutonium

Uranium

Sodium chaud

Sodium liquide (refroidisseur)

Dans le surrégénérateur, le plutonium qui sert de combustible est entouré par de l'uranium. Un tel réacteur est refroidi par du sodium liquide, qui passe de bas en haut à travers le cœur. Une partie de l'uranium y est transformée en plutonium.

La fusion nucléaire

Nous avons vu que les atomes dégagent de la chaleur quand ils sont divisés. Ils en produisent encore plus quand ils se réunissent et fusionnent. Cette « fusion » nucléaire procure au Soleil sa chaleur depuis des milliards d'années. Mais pour que les atomes fusionnent, ils doivent être amenés à une température de près de cent millions de degrés Celsius.

Des expériences ont déjà été réalisées pour tenter d'atteindre de telles températures au moyen de rayons lasers. La photo ci-contre montre un appareil conçu par les savants pour effectuer une expérience de ce genre, appelée Tosca. Des progrès ont été accomplis, mais il faudra encore des années avant que la fusion nucléaire nous procure de l'énergie.

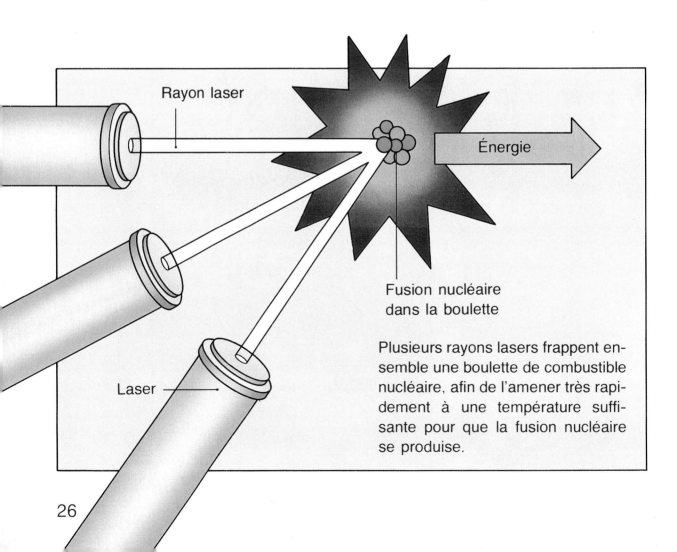

Rayon laser

Énergie

Fusion nucléaire dans la boulette

Laser

Plusieurs rayons lasers frappent ensemble une boulette de combustible nucléaire, afin de l'amener très rapidement à une température suffisante pour que la fusion nucléaire se produise.

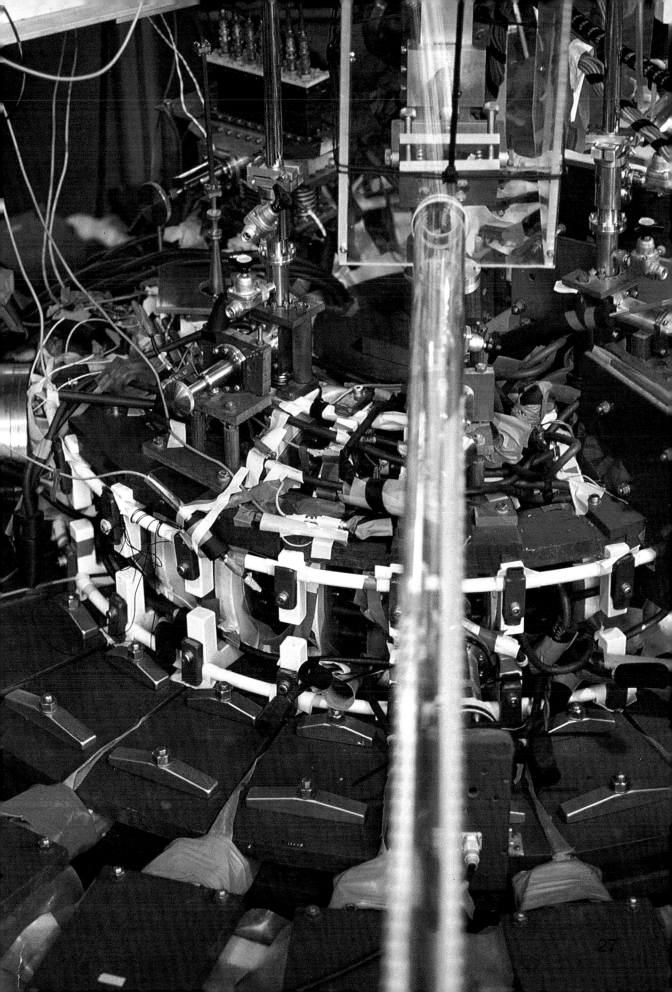

Les dangers du nucléaire

Les ingénieurs tâchent de réaliser des centrales nucléaires où la sécurité est assurée au maximum. Mais certains accidents se sont déjà produits, qui ont entraîné des fuites de radiations.

Il existe aussi un danger de fusion accidentelle du cœur d'un réacteur, lorsque son système de refroidissement ne fonctionne plus. Les matières radioactives du cœur, surchauffées, pourraient alors briser les parois du réacteur et s'en échapper.

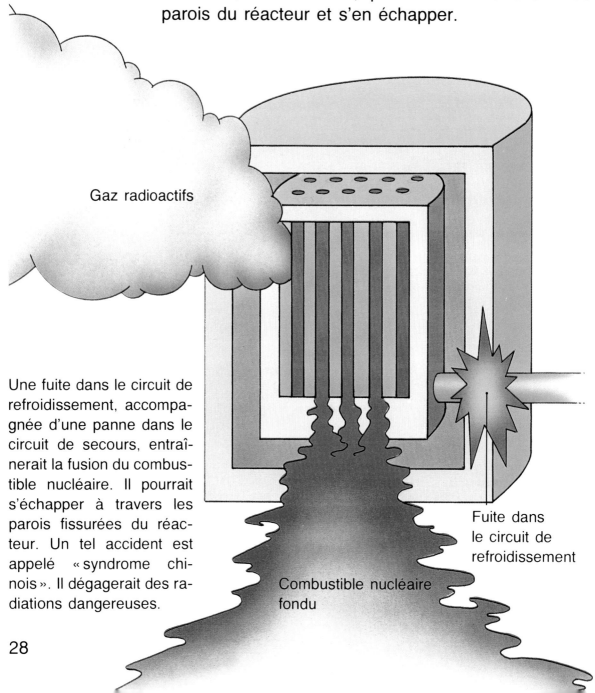

Gaz radioactifs

Une fuite dans le circuit de refroidissement, accompagnée d'une panne dans le circuit de secours, entraînerait la fusion du combustible nucléaire. Il pourrait s'échapper à travers les parois fissurées du réacteur. Un tel accident est appelé « syndrome chinois ». Il dégagerait des radiations dangereuses.

Fuite dans le circuit de refroidissement

Combustible nucléaire fondu

Beaucoup de personnes pensent que l'énergie nucléaire est à la fois trop dangereuse et trop chère, et elles organisent des manifestations contre elle.

Il y a pourtant de bonnes raisons d'utiliser l'énergie nucléaire pour produire de l'électricité : c'est un procédé propre et un supplément intéressant d'énergie. Certains pays, tels que la France et la Bulgarie, voudraient développer le nucléaire, pour en faire leur source principale d'énergie.

Une manifestation antinucléaire

Dossier 1 Le nucléaire

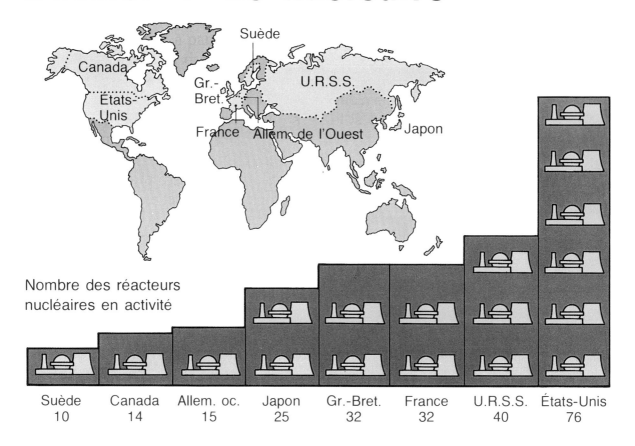

Nombre des réacteurs nucléaires en activité

Suède	Canada	Allem. oc.	Japon	Gr.-Bret.	France	U.R.S.S.	États-Unis
10	14	15	25	32	32	40	76

Il y a actuellement dans le monde 270 réacteurs nucléaires. La carte et le tableau ci-dessus indiquent les pays qui utilisent le plus d'énergie nucléaire.

La France, la Belgique et la Finlande obtiennent environ la moitié de leur électricité grâce à l'énergie nucléaire. Les États-Unis, le Canada, la Grande-Bretagne et l'Allemagne de l'Ouest retirent chacun du nucléaire environ la sixième partie de leur électricité.

L'énergie nucléaire ne conviendrait pas à certains pays en voie de développement, par exemple s'ils ne disposent pas d'un réseau de fils électriques suffisant pour distribuer toute l'électricité produite par une centrale nucléaire.

Tous les pays qui retirent plus de 20 % de leur énergie du nucléaire se trouvent en Europe et sont représentés sur la carte ci-dessous. Parmi eux, la France a la plus forte production.

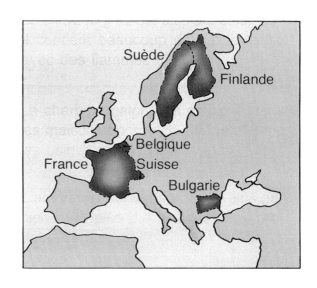

30

Les réacteurs nucléaires ordinaires se divisent en deux grandes catégories, d'après le fluide refroidisseur qui y est employé. La plupart sont refroidis par de l'eau pressurisée: on les appelle PWR en anglais. D'autres, les AGR, sont refroidis par un gaz et utilisés surtout en Grande-Bretagne et au Canada. Ils sont plus coûteux à l'usage.

Dans le cœur d'un réacteur à eau pressurisée, l'eau sert à la fois de fluide refroidisseur et de modérateur.

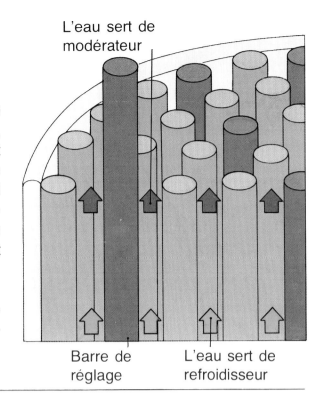

L'eau sert de modérateur

Barre de réglage

L'eau sert de refroidisseur

L'uranium trouvé dans la nature n'est pas toujours le même : il est un mélange de plusieurs espèces d'uranium légèrement différentes, appelées isotopes. Une seule d'entre elles, l'uranium 235, agit dans les réacteurs. Presque tout le reste est de l'uranium 238, qui se trouve aussi dans les éléments de combustible. Le fonctionnement du réacteur transforme une part de l'uranium 238 en plutonium.

« Aiguille » de combustible

L'uranium est une source d'énergie extrêmement concentrée. Un seul gramme, consommé dans un réacteur, fournit autant d'énergie que trois tonnes de charbon. L'« aiguille » de combustible nucléaire représentée ci-dessous peut donner autant de chaleur que 150 tonnes de charbon. Un surrégénérateur peut tirer de la même quantité d'uranium 50 à 60 fois plus d'énergie.

Les éléments de combustible nucléaire qui sont alignés dans le cœur du réacteur contiennent chacun plusieurs « aiguilles » (voir ci-contre) qui sont remplies de boulettes d'uranium.

On a calculé que chaque homme consomme en moyenne durant sa vie l'équivalent de 350 tonnes de charbon. Il n'a donc besoin que de 2 1/2 « aiguilles » d'uranium. Or un seul élément de combustible du réacteur nucléaire peut contenir jusqu'à 200 de ces « aiguilles ».

Dossier 2 Radiations

Les réacteurs nucléaires peuvent servir à produire des isotopes radioactifs. Les radiations de ces corps sont utilisées en médecine, dans l'industrie et pour la recherche scientifique.

Les isotopes radioactifs se dégradent en émettant des radiations très pénétrantes. Celles-ci sont utilisées pour le traitement du cancer, car elles tuent les cellules cancéreuses.

Les diverses sortes de radiations portent des noms différents : rayons alpha, bêta ou gamma. Les rayons gamma sont les plus pénétrants et les plus dangereux : ils peuvent traverser d'épaisses couches de béton. Les rayons bêta sont moins pénétrants, et les rayons alpha traversent à peine la peau ; ces deux catégories de « rayons » sont en fait de minuscules particules matérielles. Reçues dans la bouche, elles peuvent être mortelles.

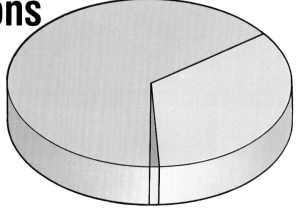

Les quantités de radiations émises par diverses sources

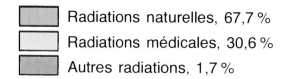

Radiations naturelles, 67,7 %
Radiations médicales, 30,6 %
Autres radiations, 1,7 %

Les radiations existent sous des formes très diverses. La plupart d'entre elles ont une origine naturelle, par exemple les rayons du Soleil et les radiations du sol. En fait, les radiations ne sont dangereuses pour l'homme que s'il en reçoit une quantité beaucoup trop grande.

Les rayons X des examens médicaux sont pour l'homme la seconde source des radiations reçues. Cette exposition aux radiations est évidemment contrôlée, et elle n'a lieu que dans les hôpitaux, cliniques et cabinets médicaux.

Les radiations restantes (1,7 %) proviennent des explosions nucléaires expérimentales, et une petite quantité s'échappe des réacteurs nucléaires.

Les radiations peuvent avoir des effets dangereux ou même mortels : ceux-ci dépendent de la longueur de l'exposition et de la puissance des radiations.

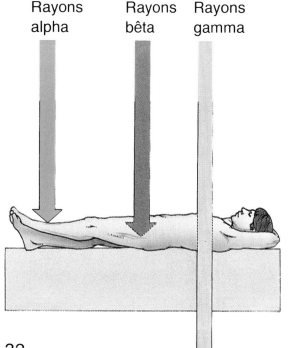

Rayons alpha   Rayons bêta   Rayons gamma

Signe de radiations

Signe antinucléaire

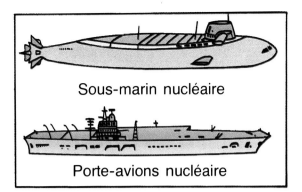

Sous-marin nucléaire

Porte-avions nucléaire

Ces deux signes peuvent représenter deux attitudes opposées du monde moderne concernant l'emploi de l'énergie nucléaire : le premier est utilisé dans les centrales pour indiquer la présence de radiations nucléaires, et le second est l'emblème de la campagne pour le désarmement nucléaire.

Des arguments militaires interviennent dans ce débat. Les sous-marins et porte-avions militaires peuvent naviguer sur de longues distances avec très peu de combustible nucléaire. Le nucléaire permet aussi de réaliser diverses espèces d'armes extrêmement puissantes, mais dangereuses pour l'humanité.

Des déchets sont produits dans les centrales à charbon comme dans les centrales nucléaires. Ils sont plus abondants dans les centrales à charbon (voir les chiffres ci-dessous), surtout parce qu'elles emploient plus de combustible. Les déchets nucléaires sont plus dangereux, mais une partie peut être retraitée.

L'extraction de l'uranium crée encore d'autres problèmes. Les mines d'uranium comme celles de charbon peuvent abîmer le paysage. De plus, dans le cas de l'uranium, le minerai extrait peut être dangereux par les radiations qu'il émet, alors qu'il est pratiquement sans danger tant qu'il reste enseveli dans le sol.

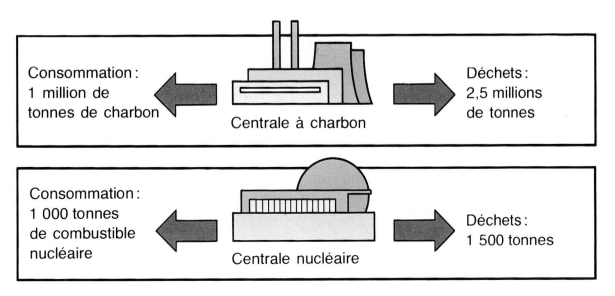

Consommation :
1 million de
tonnes de charbon

Centrale à charbon

Déchets :
2,5 millions
de tonnes

Consommation :
1 000 tonnes
de combustible
nucléaire

Centrale nucléaire

Déchets :
1 500 tonnes

Glossaire

Barres de réglage (ou de contrôle). Barres d'une matière spéciale, qu'on peut faire descendre dans le cœur du réacteur nucléaire pour ralentir les réactions, ou qu'on remonte pour les accélérer.

Cœur du réacteur. C'est sa partie centrale, où le combustible nucléaire dégage son énergie.

Enrichissement. Traitement appliqué au combustible nucléaire, pour y augmenter la quantité des isotopes qui peuvent subir la fission nucléaire.

Fission nucléaire. Division du noyau d'un atome en fragments, accompagnée d'un dégagement d'énergie. « Nucléaire » vient du mot latin « nucleus » (noyau).

Fluide refroidisseur. Liquide ou gaz qui emporte hors du cœur du réacteur la chaleur qui y est produite par la fission du combustible nucléaire.

Isotopes. Formes légèrement différentes d'un même corps et qui ont quelques propriétés particulières.

Plutonium. Corps produit dans le réacteur à partir d'uranium ; il peut servir de combustible nucléaire.

Radiations. Émission de rayons ou de particules par certains corps, lors de réactions nucléaires.

Retraitement. Processus appliqué au combustible usé, pour en retirer l'uranium et le plutonium.

Surrégénérateur. Réacteur dont le fonctionnement produit plus de plutonium qu'il n'en consomme.

Index

Remerciements

Les éditeurs remercient les organismes suivants, pour leur aide dans la réalisation de cet ouvrage :
Central Electricity Generating Board UK, Culham Laboratories (Abingdon, Oxfordshire), Electricity Council (Overseas Division), Friends of the Earth, Ministry of Defence, Science Research Council — The Rutherford and Appleton Energy Laboratory UK, UK Department of Energy.

PRINTED IN BELGIUM BY

INTERNATIONAL BOOK PRODUCTION